Oiriúnach do pháistí ó 6 bliana go 9 mbliana d'aois

© Téacs: 1988 Martin Waddell
© Léaráidí: 1988 Barbara Firth
© Leagan Gaeilge: 1989 Rialtas na hÉireann
Athchló 2000

ISBN 1-85791-328-0

Fógraítear agus dearbhaítear leis seo de réir Acht um Chóipcheart,
Dhearadh agus Phaitinní na Breataine (1988)
gurb é Martin Waddell údar an tsaothair seo.

Walker Books Ltd. Londain, a d'fhoilsigh a chéaduair i 1988 faoin teideal
Can't you sleep, little bear?

Printset & Design a rinne an clóchur
Arna chlóbhualadh san Iodáil ag L E G O (Vicenza)

Le ceannach ó: Siopa Fhoilseacháin an Rialtais,
Sráid Theach Laighean, Baile Átha Cliath 2,
nó ó dhíoltóirí leabhar.
Nó tríd an bpost ó:
An Rannóg Postdíola, Foilseacháin an Rialtais,
4-5 Bóthar Fhearchair, Baile Átha Cliath 2.

An Gúm, 44 Sr. Uí Chonaill Uachtarach, Baile Átha Cliath 1

OÍCHE MHAITH, A BHÉIRÍN!

Scéal: Martin Waddell

Léaráidí: Barbara Firth

Aistritheoir: Máire Ní Ící

 AN GÚM

Baile Átha Cliath

Bhí dhá bhéar ann tráth,

Béar Mór agus Béirín.

Béar fásta ba ea Béar Mór agus babaí béir ba ea Béirín.

Chaithidís an lá ar fad ag súgradh faoi sholas na gréine.

San oíche nuair a théadh an ghrian faoi thugadh Béar Mór Béirín abhaile

go dtí Pluais na mBéar.

Oíche amháin chuir Béar Mór Béirín a luí sa chuid

dhorcha den phluais.

'Téigh a chodladh anois, a Bhéirín,' ar seisean.

Shuigh Béar Mór isteach sa Bhéarchathaoir agus

thosaigh sé ar a Bhéarleabhar a léamh le solas na tine.

Ach ní raibh Béirín in ann dul a chodladh.

'Nach bhfuil tú i do chodladh fós, a Bhéirín?' arsa Béar Mór.

Chuir sé síos a Bhéarleabhar agus shiúil sé anonn go dtí an leaba.

'Tá eagla orm,' arsa Béirín.

'Cén fáth a bhfuil eagla ort, a Bhéirín?' arsa Béar Mór.

'Ní maith liom an dorchadas,' arsa Béirín.

'Cén dorchadas?' arsa Béar Mór.

'An dorchadas atá thart orainn,' arsa Béirín.

D'fhéach Béar Mór timpeall agus chonaic sé go raibh an chuid sin den phluais an-dorcha ar fad. Mar sin, chuaigh sé go dtí cófra na laindéar agus thóg sé amach an laindéar ba lú a bhí ann.

Las Béar Mór an laindéar beag agus chuir sé in aice le leaba Bhéirín é.

'Sin solas beag duit anois, a Bhéirín, agus ní bheidh eagla ort roimh an dorchadas níos mó,' arsa Béar Mór.

'Ó, go raibh maith agat, a Bhéir Mhóir,' arsa Béirín agus é ag socrú síos faoi sholas an laindéir.

'Anois, téigh a chodladh, a Bhéirín,' arsa Béar Mór agus shiúil sé go ciúin ar ais go dtí a Bhéarchathaoir agus shuigh sé síos lena Bhéarleabhar a léamh le solas na tine.

Rinne Béirín iarracht dul a chodladh, ach ní raibh sé in ann.

'Nach bhfuil tú i do chodladh fós?' arsa Béar Mór, agus é ag méanfach. Leag sé síos an leabhar agus shiúil sé anonn go dtí an leaba.

'Tá eagla orm,' arsa Béirín.

'Ach cén fáth a bhfuil eagla ort, a Bhéirín?' arsa Béar Mór.

'Ní maith liom an dorchadas,' arsa Béirín.

'Cén dorchadas?' arsa Béar Mór.

'An dorchadas seo atá thart orainn,' arsa Béirín.

'Ach nár thug mé laindéar duit?' arsa Béar Mór.

'Níl ann ach laindéar beag bídeach,' arsa Béirín, 'agus tá a lán lán dorchadais ann.

D'fhéach Béar Mór agus chonaic sé go raibh an ceart ag Béirín – bhí a lán dorchadais ann fós. Mar sin, chuaigh Béar Mór go dtí cófra na laindéar agus fuair sé laindéar eile – ceann níos mó ná an ceann eile.

Las sé an laindéar agus leag sé síos é in aice leis an laindéar beag.

'Anois, téigh a chodladh, a Bhéirín,' arsa Béar Mór, agus shiúil sé ar ais go dtí a Bhéarchathaoir, agus shocraigh sé síos arís lena Bhéarleabhar a léamh le solas na tine.

Rinne Béirín iarracht mhór dul a chodladh ach ní raibh sé in ann.

'Nach bhfuil tú i do chodladh

fós, a Bhéirín?' arsa Béar Mór go

crosta agus leag sé síos a

Bhéarleabhar agus shiúil sé anonn

go dtí an leaba arís.

'Tá eagla orm,' arsa Béirín.

'Cén fáth a bhfuil eagla ort, a Bhéirín?' arsa Béar Mór.

'Ní maith liom an dorchadas,' arsa Béirín.

'Cén dorchadas?' arsa Béar Mór.

'An dorchadas mór atá thart orainn,' arsa Béirín.

'Ach nár thug mé dhá laindéar duit,' arsa Béar Mór, 'ceann beag,

agus ceann níos mó?'

'Níl sé mórán níos mó,' arsa Béirín, 'agus tá a lán dorchadais fós

ann.

'Smaoinigh Béar Mór ar feadh nóiméid, agus ansin chuaigh sé go dtí cófra na laindéar agus thóg sé amach laindéar mór millteach le slabhra agus dhá hanla air.

Chroch sé suas an laindéar mór millteach os cionn leaba Bhéirín.

'Seo laindéar mór millteach duit agus ní bheidh eagla ort níos mó, a Bhéirín,' arsa Béar Mór.

'Ó, go raibh maith agat, a Bhéir Mhóir,' arsa Béirín agus luigh sé síos faoin solas agus d'fhéach sé ar na scáthanna ag damhsa ina thimpeall.

'Anois, téigh a chodladh, a Bhéirín,' arsa Béar Mór agus shiúil sé ar ais go dtí a Bhéarchathaoir lena Bhéarleabhar a léamh le solas na tine.

Rinne Béirín iarracht mhór arís is arís eile

dul a chodladh

ach ní raibh sé in ann.

'Nach bhfuil tú i do chodladh fós?' arsa Béar Mór agus

lig sé osna. Leag sé síos a

Bhéarleabhar agus chuaigh sé anonn

go dtí an leaba arís eile.

'Tá eagla orm,' arsa Béirín.

'Cén fáth a bhfuil eagla ort, a Bhéirín?' arsa Béar Mór.

'Ní maith liom an dorchadas,' arsa Béirín.

'Cén dorchadas?' arsa Béar Mór.

'An dorchadas mór atá thart orainn,' arsa Béirín.

'Ach nár thug mé laindéar mór millteach duit,' arsa Béar Mór,

'agus níl aon dorchadas fágtha.'

'Ach tá!' arsa Béirín. 'Tá dorchadas mór ann – amuigh ansin!'

Agus shín sé a mhéar amach ó Phluais na mBéar i dtreo na hoíche

lasmuigh.

D'fhéach Béar Mór agus chonaic sé go raibh an ceart ag Béirín.

Bhí sé trína chéile. Dá mbeadh gach laindéar ar domhan aige, ní chuirfidís an ruaig ar an dorchadas lasmuigh.

Smaoinigh Béar Mór ar feadh píosa agus ansin dúirt sé:

'Seo leat, a Bhéirín. Tar in éineacht liom.'

'Cá bhfuilimid ag dul?' arsa Béirín.

'Amach,' arsa Béar Mór.

'Amach sa dorchadas?' arsa Béirín.

'Is ea!' arsa Béar Mór.

'Ach tá eagla orm roimh an dorchadas,' arsa Béirín.

'Ach ní gá go mbeadh!' arsa Béar Mór agus thóg sé lapa Bhéirín ina lapa féin agus thug sé amach as an bpluais é, amach faoin oíche

– amach sa …

DORCHADAS!

'Óóó – tá eagla orm,' arsa Béirín.

Agus rug sé greim ar Bhéar Mór.

Thóg Béar Mór Béirín ina bhaclainn agus shiúil sé

go dtí barr an chnoic.

Faoin am a shroich siad an barr bhí an ghealach

lán ina suí.

'Seo duit an ghealach, a Bhéirín,' arsa Béar Mór,

'an ghealach mhór bhuí, agus na réaltaí beaga geala.'

Ach ní dúirt Béirín aon ní, mar bhí sé ina chodladh go sámh i
mbaclainn Bhéir Mhóir.

D'iompair Béar Mór Béirín ar ais isteach i bPluais na mBéar, agus
é fós ina shámhchodladh. Shuigh Béar Mór síos ina Bhéarchathaoir
os comhair na tine, Béirín ar lapa amháin leis agus an Béarleabhar
sa lapa eile.

Agus léigh Béar Mór an Béarleabhar siar amach go dtí . . .

AN DEIREADH